# 小牛顿科学馆

全新升级版

科学馆

# 火山

HUOSHAN

台湾牛顿出版股份有限公司　编著

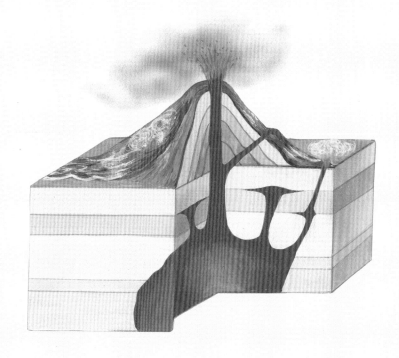

接力出版社
Publishing House

桂图登字：20-2016-224

简体中文版于 2016 年经台湾牛顿出版股份有限公司独家授予接力出版社有限公司，在大陆出版发行。

**图书在版编目（CIP）数据**

火山／台湾牛顿出版股份有限公司编著. 一南宁：接力出版社，2017.3（2024.1重印）
（小牛顿科学馆：全新升级版）
ISBN 978-7-5448-4760-5

Ⅰ.①火… Ⅱ.①台… Ⅲ.①火山－儿童读物 Ⅳ.①P317-49

中国版本图书馆CIP数据核字（2017）第029224号

责任编辑：程 蕾 郝 娜 美术编辑：马 丽
责任校对：杨少坤 责任监印：刘宝琪 版权联络：金贤玲
社长：黄 俭 总编辑：白 冰
出版发行：接力出版社 社址：广西南宁市园湖南路9号 邮编：530022
电话：010-65546561（发行部） 传真：010-65545210（发行部）
网址：http://www.jielibj.com 电子邮箱：jieli@jielibook.com
经销：新华书店 印制：北京瑞禾彩色印刷有限公司
开本：889毫米×1194毫米 1/16 印张：4 字数：70千字
版次：2017年3月第1版 印次：2024年1月第11次印刷
印数：121 001—129 000册 定价：30.00元

本书地图系原书插附地图
审图号：GS（2023）2426号

# 目录

## 写给小科学迷

　　大部分的人从科学影片或电影情节中体验到火山的威力，火山喷发时的壮丽场面实在令人震惊。火山在地球形成的过程中，占了很重要的地位。虽然它让人们遭受悲惨的灾害，却也为人类带来丰富的资源，如地热、硫黄矿等。本书除了让小朋友详细了解与火山相关的事物外，也带领你瞧瞧由海底裂隙喷发出的熔岩流，经冷却凝固后所形成的特殊造型岛屿，保证让你大开眼界。

# 探测地球内部的窗口——火山

"救命啊！火山爆发了！快逃！"

刹那间，岩屑飞奔，熔浆四溢，雷电交加，昏天暗地！

罗马历史上最繁荣的庞贝城，在维苏威火山的吞噬下，从此销声匿迹了！

火山在地球历史上，占了非常重要的地位，火山爆发更是地球内部不断活动的最有力证据。它为人类带来了丰富的资源，同时也带给人类无数惨痛的灾害。

## 火山怎么来的？

"咦，为什么太平洋边缘的火山特别多呢？"

依照板块运动学说，地球的外壳是由六大板块和数十个小板块所组成的，这些板块可以自由移动，甚至会彼此碰撞。大部分的火山活动是在板块相撞时发生的，当一个板块被挤到另一个板块下面时，岩石受到摩擦热及地球内部放射热等的影响，温度

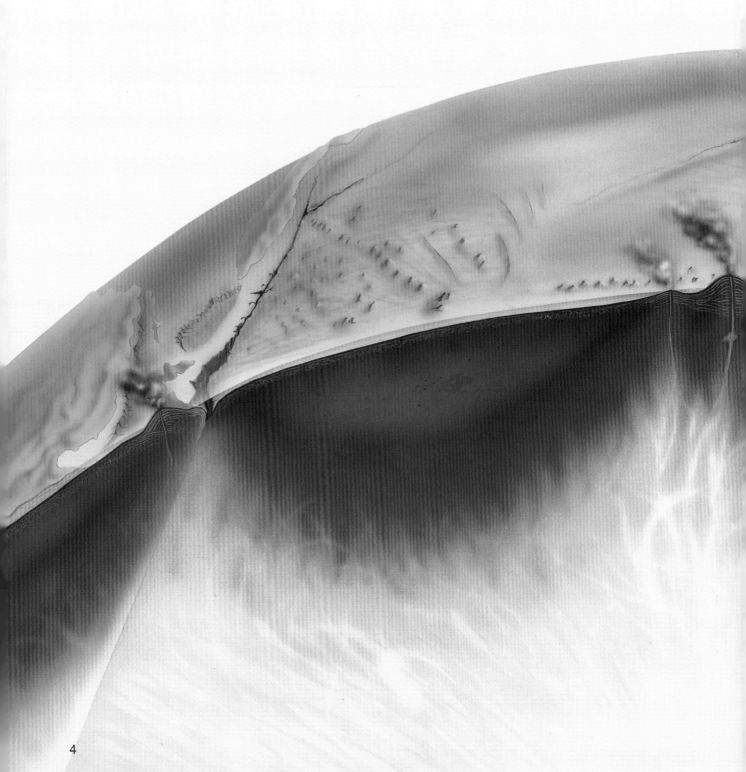

激增，于是部分岩石被软化成黏稠的岩浆。岩浆一面往上升，一面还会侵入周围岩石间的裂缝，于是地表以下 3 千米处逐渐形成一个热滚滚的岩浆房。

亚欧板块和太平洋板块的交界处，距今约 40 万年前，由于海洋板块向陆地板块切入，曾经发生过剧烈的火山活动。

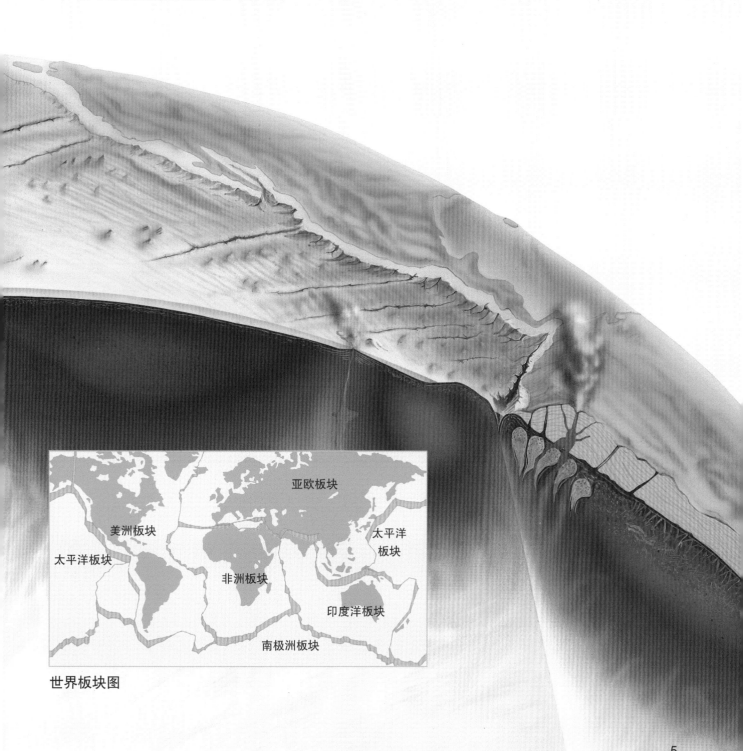

世界板块图

## 一"发"不可收拾

"快！快！往上冲啊！"

在岩浆房中，充满气体的岩浆遭受到周围岩块的挤压，使得岩浆不断地向岩石缝隙浸入，于是质地较软的岩石就会被熔化，最后便形成一条通路。

岩浆沿通路往上升，到快接近地表时，岩浆中的气体会急速地将表面的岩石掀翻，火山便爆发了。喷火口一旦打开，下面的岩浆就会源源不断地冲出来，并且以万马奔腾的气势朝四周流去。

## 根据火山爆发的剧烈程度，可将火山分为

### 夏威夷式喷发

最宁静的火山爆发，因夏威夷的火山而得名。流动性高的玄武质熔岩流，由火山口或山腹的裂缝渗出，静静地流向四方，然后逐渐冷却，形成盾状火山。

### 斯特龙博利式喷发

因意大利的斯特龙博利火山而得名。岩浆贮存在火山口底部，通过频繁的小型喷发活动喷出。岩屑落下来堆积在喷发口附近，形成锥状火山。

### 武尔卡诺式喷发

因意大利的火山岛武尔卡诺岛而得名。这种爆发是由于黏性高的熔岩上升时，淤塞喷发口所造成的。因为熔岩内的气体不断增加，压力逐渐变大，终于爆发出来，黑烟直冲云霄。

## 根据火山的山形及组成物质，可将火山分为

### 锅状火山

因为它喷发的规模小，所以大多形成圆形或椭圆形的洼地。火山口底部常积水形成火口湖。

### 锥状火山

最常见的火山形态。由熔岩流及火山灰、火山砾等火山岩屑物层层交替累积而成的。日本的富士山即是锥状火山。

### 钟状火山

主要由黏性较大的酸性熔岩所形成的，是倾斜度高的圆顶火山。它是发育在火山山麓的小火山体，所以又被称为寄生火山。

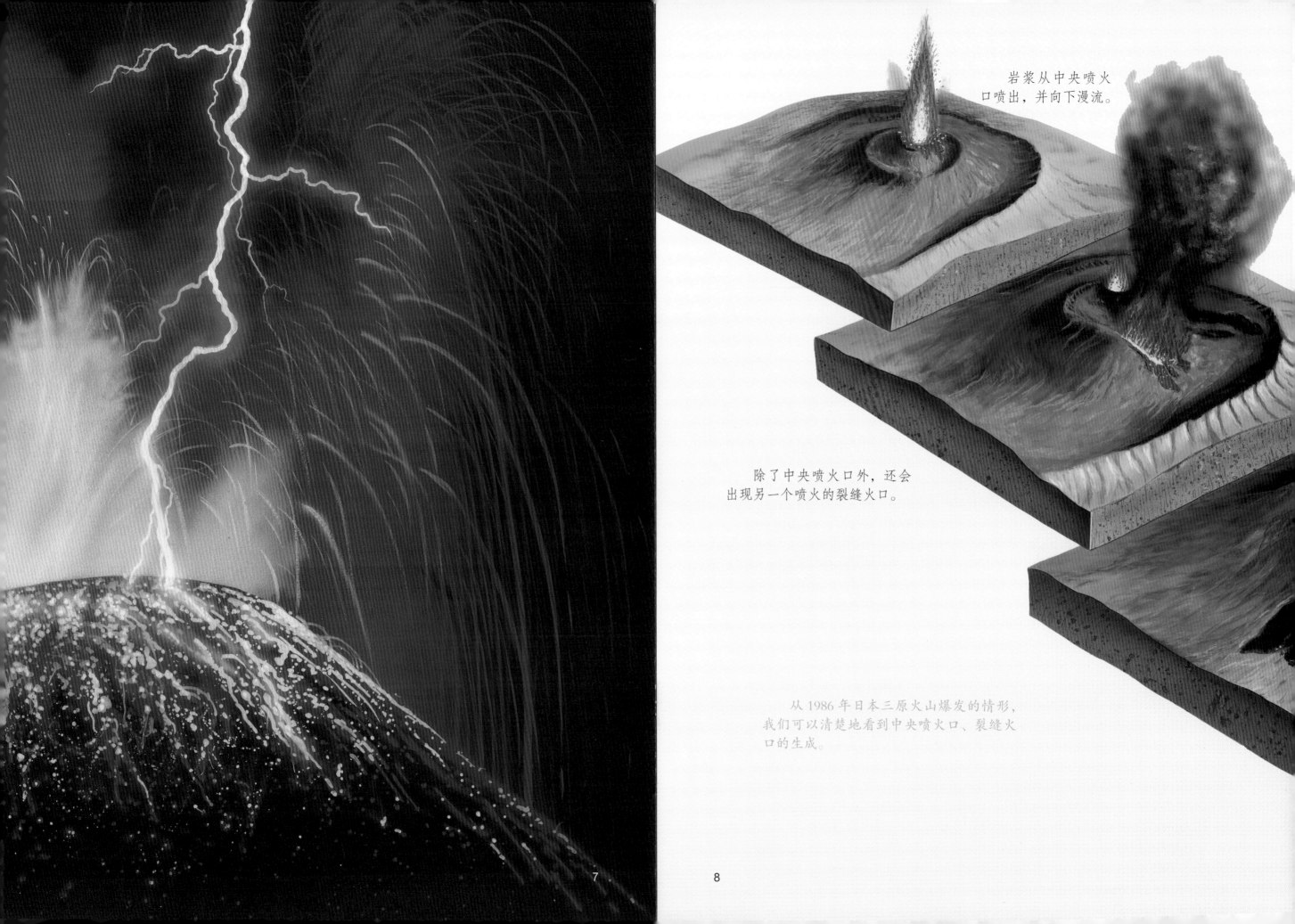

岩浆从中央喷火口喷出，并向下漫流。

除了中央喷火口外，还会出现另一个喷火的裂缝火口。

从 1986 年日本三原火山爆发的情形，我们可以清楚地看到中央喷火口、裂缝火口的生成。

### 培雷式喷发

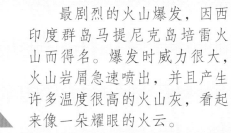

最剧烈的火山爆发，因西印度群岛马提尼克岛培雷火山而得名。爆发时威力很大，火山岩屑急速喷出，并且产生许多温度很高的火山灰，看起来像一朵耀眼的火云。

### 冰岛式喷发

因冰岛的火山而得名。玄武质岩浆直接由地下深处通过垂直裂缝喷出。

### 维苏威式喷发

因意大利的维苏威火山而得名。巨量喷烟持续一段时间后，在很短时间内，又会喷出大量的物质，熔岩流也常不断地流下。

扫一扫，看视频

喷气的火山

## 根据火山爆发的频率，可将火山分为

### 活火山

依照最新的火山定义：凡1万年内曾经喷发过，并且火山底下仍有岩浆房，都称为活火山。近100年来，地球上有20—30座火山，仍然不断地在活动。这些活火山经过一次连续大规模喷发后，可能会歇息一段很长的时间，再开始下一次喷发。

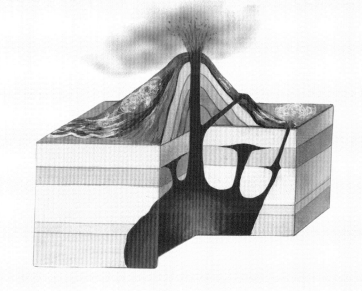

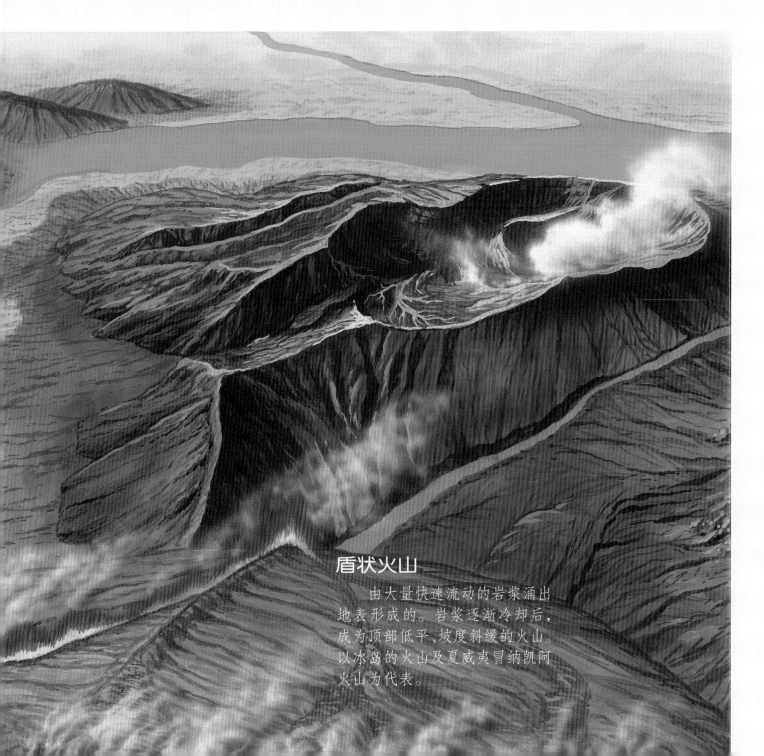

### 盾状火山

由大量快速流动的岩浆涌出地表形成的。岩浆逐渐冷却后，成为顶部低平、坡度斜缓的火山。以冰岛的火山及夏威夷冒纳凯阿火山为代表。

### 休眠火山

人们把1万年以来，从未喷发过的火山，称为死火山。但死火山并不代表这座火山已经死了，从此以后就不会活动，而仅是未曾被人类记录到。1万年以上未喷发的死火山都称为休眠火山。等到有一天，又符合火山爆发的条件时，岩浆将会再度冲破被阻塞的通道，重新爆发出来。

## 不甘寂寞的火山口

"挤不下啦!兄弟!你从别的地方出去吧!"

火山爆发以后,再度涌上来的岩浆,不一定都是从中央喷火口流出来的。部分岩浆会穿过通路侧壁的岩石缝隙,自己"发展"出一些小岔道,然后再从这些小岔道爆发出来,这种从小岔道爆发形成的火口,称为裂缝火口。

第一个裂缝火口的下方,
又出现了第二个裂缝火口。

### 熔岩

流速缓慢的熔岩流,凝固后会形成表面粗糙的碎块状熔岩。

### 黑曜岩

熔岩快速冷却后所凝结成的,具有黑亮的玻璃光泽。

### 浮石

熔岩冷却凝固后,所形成多孔而且质量很轻的岩石,这种岩石可以浮在水面上。

14

## 喷自火山内部的物质

从火山口流出滚烫的岩浆，漫天飞舞的喷烟，加上如雨般降下的火山弹和火山灰，形成一幅壮观的画面，令人看了震撼不已，不得不佩服大自然的力量。你知道随火山爆发而喷出来的东西有哪些吗？

火山爆发时，除了喷出熔岩及火山岩屑外，还会喷出大量的水蒸气、二氧化碳、氧气等气体。

**火山灰、火山尘**

直径在5毫米以下的火山岩屑，可在大气中飘得很远。

**火山砂**

像细沙般的火山岩屑。

**火山弹**

较大的岩石块，呈圆形。

**火山砾**

形状不规则的火山岩碎块。

深海火山只喷出黑烟是因为深海中的海水压力很大，所以火山岩屑及气体等喷出物，只会以黑烟形态慢慢上升，再扩散到海水中。

## 深海中的火山

我们一般以为火山爆发只是在陆地上才会发生，其实海洋中也有火山呢！海底火山和陆地火山爆发的气势迥然不同，像冰岛的苏鲁奇就是在海面下安静平稳地喷发，它一面形成宽广的盾状火山，一面继续成长，到接近海面时，才开始激烈地爆发。

1979 年，美国深海探测船在太平洋 2600—3000 米深处，发现一堆堆冒黑烟的笋状小山，它们正是深海中的火山呢！从海底火山中所流出的热熔岩流，一遇海水迅速冷却，形成枕状熔岩。

## 涌自地底的热泉

　　火山活动停止后，地表下的地下水或下渗的地表水，被滚烫的岩浆加热后，会从岩石的裂缝中冒出地面，这就是我们常说的温泉了！

　　温泉若以较慢的速度涌出地面，称为涌出泉。但是如果积存在地层中的热水因蒸气压力而以强大的力量冲出地面时，就叫作喷出泉。有的喷出泉不是持续不断地喷出，而是喷一阵子停一阵子，这又叫作间歇泉。例如美国黄石公园就有许多著名的间歇泉。

这个间歇泉以守时出名，它每隔65分钟就喷发一次。难怪它又叫作"老忠实"间歇泉。

## 火山和温泉

"呼——冬天泡澡，要泡温泉！"

世界上著名的温泉产地，温泉澡堂随处可见。温泉和火山有密切的关系，火山活动常为附近地区带来丰富的温泉资源。温泉水的温度比人体的体温还要高，泡了以后，可以让人疲劳尽除，而且由于温泉中含有丰富的矿物质，具有医疗的效果，所以颇受现代人欢迎呢！

## 水质各异的温泉

　　温泉从岩层中冒出来的过程中，泉水会经过各种不同的岩层，并且溶解附近岩石的矿物成分，于是喷出的泉水便带有各种不同的矿物质。我们依温泉水质的不同，将其分为土类泉、酸性泉、硫黄泉三种。土类泉无色、无味、无臭，pH 在 5—8 之间，因含有铁质，所以又叫作"铁汤"。酸性泉无色，有酸味，pH 为 1，可以说是强酸泉。硫黄泉为浑白色，有硫臭味，pH 为 4 左右。

扫一扫，看视频

温泉

　　温泉的温度很高，高到可以把蛋煮熟，但要煮多久呢？那要由温泉的水温来决定。温泉的温度如果高的话，那蛋很快就会熟了！相反，如果水温低，那就要等很久了！

下渗冷水

上升热水或热水蒸气

地下水

地底的热源通过断层向地表喷出

地底热源

喷气孔气体的来源，有些是从岩浆中逸出，但大多数为地下水或下渗的地表水，流经火山口下的热源时，受热而产生的。

## 火山最后的叹息

剧烈的火山活动终于停止了，但是在火山口附近，经常留下一些喷气孔，这些小坑洞仍然不停地喷出温度达 100 摄氏度左右的气体。不同地区的喷气孔，喷出的气体都不大一样，只喷出水蒸气的叫作蒸气孔；含有大量的硫质气体的喷气孔叫作硫气孔；另外，还有一种以喷出氢、氮、二氧化碳为主的喷气孔叫作碳酸气孔。

## 利用地热来发电

"如果让这些冒出的气体消散到大气中，是多么可惜的一件事啊！"

于是人们开始动脑筋将这些气体收集起来，甚至钻孔将它们引出来，然后利用这些水蒸气来推动汽轮机，再带动发电机发电。世界上最早利用地热来发电的国家是意大利。

冰岛境内地壳活动频繁，有200多座火山。全国有1/4的电力来自地热，充分利用了无污染的可再生能源。

## 火山赋予的矿藏

"好漂亮的硫黄结晶哟！"

硫黄与火山活动有密切的关系，天然硫黄大多产在爆裂火山口内的硫气孔附近和黑色硫化铁矿体中。清朝末年有很多相当出名的硫黄产地，近年因为可从石油工业中获得含硫副产物，硫黄采矿业已渐趋没落了。

美丽的硫黄结晶

## 星球生命的能源

"除了地球以外，别的星球上有没有火山呢？"

太阳系内和地球同时诞生的行星有水星、金星、火星。火星上有太阳系内最大的奥林波斯火山，但现在只残留一个年老的火山口，由此可知，火星曾有过剧烈的火山活动。同样的，水星表面也布满了大大小小的火山口遗迹。而金星上火山密布，是太阳系中拥有火山数量最多的行星。2015 年欧洲的"金星快车"探测器首次观测到非常猛烈的金星火山喷发。跟这些兄弟星球比起来，我们所居住的地球可以说是火山活动力非常强的星球，因为地球的内部是炽热的，内部的热还不断地通过岩层以火山爆发的方式释放出来。所以火山活动是星球内部还在活动的最有力证据。

# 玄武岩——蜂巢般的六角柱状奇石

英国爱尔兰岛北方海岸的巨人之堤，石柱最高的有 12 米。传说中是由巨人用石块打造而成，实际却是地球在距今约 6000 万年前，由大西洋中脊涌出的熔岩遇到海水迅

速冷却凝固形成的玄武岩群。多次不同时期的熔岩喷发堆叠，形成多层次的柱状结构排列。最后，经过地壳变动与板块运动，露出海面而形成岛屿堤道。

在大西洋中脊东边约 1700 千米的爱尔兰岛北方海岸，竖立了 4 万多根高高低低的六角形石柱，被称为"巨人之堤"。

## 六角柱状的节理

均质的熔岩在海底缓缓冷却时，因为均匀受力收缩，而形成六角柱状的节理面，也有一些石柱是四角形、五角形或八角形。这样的火成岩地质在美国、韩国、意大利与冰岛等许多国家都看得到。

## 玄武岩遍布各处

玄武岩属于火成岩的一种，包含斜长石、辉石、橄榄石及磁铁矿等主要矿物。多数岛屿地表下或更深处，几乎都有一到三层的玄武岩，每一层代表一次火山喷发，玄武岩流之间还夹杂砂岩、页岩等沉积岩。

最上层的玄武岩具有十分发达的柱状节理。远远望去，像是一排排牢固的栅栏；近看却又似一根根竖立整齐而紧密的风琴管。柱子的横断面经常呈六边形，也有呈四边或五边形的。

这种难得一见的岩石结构，也是一项令人叹为观止的地理奇景呢！

## 自然生成的蜂窝状裂面

　　熔融的岩浆喷出地表时，便在地面上冷却凝固。玄武岩岩浆大约会从 1000 摄氏度起逐渐收缩固化，收缩时很容易形成六面体柱状的裂隙，就像一块块干裂的泥土一般。由于岩浆上下部分收缩固化的速度不同，于是形成一层层高高低低的与地面平行的柱状节理。

## 海鸟的天堂

　　许多地形险恶的无人岛上，经常栖息着各种各样的海鸟，真可谓海鸟的天堂！陡峭的玄武岩壁上，常吸引许多海鸟前来筑巢。

# 世界知名的火山

## 蠢蠢欲动的维苏威火山

　　世界各地有很多火山，但是，第一个被明确记载，并且为世人所熟知的火山，是意大利的维苏威火山。维苏威火山至今仍不时冒出白烟，蠢蠢欲动。公元 79 年，发生了一场猛烈的爆发，火山灰和熔岩掩埋了山脚下的庞贝城，触目惊心的一刻被作家小普林尼记录了下来，也成了被世人所熟知的火山灾难。维苏威火山位于非洲板块和亚欧板块交界处，当两个板块剧烈碰撞时，地壳下的熔岩很容易爆裂式地喷发。火山瞬间喷出大量的火山灰、岩屑、熔岩和炽热的火山气体，每次爆发都给周围地区带来重大的灾难。

　　维苏威火山是意大利的一座活火山，游客到火山口，仍可看到不断冒出的白烟，表明了火山活动的迹象。

　　维苏威火山是猛爆式喷发的火山，不但喷出熔岩与气体，更会喷出大量的火山岩屑与火山灰。山脚下的庞贝城就被大量的火山灰所覆盖和掩埋。

## 宁静喷发的夏威夷火山

　　目前世界上最活跃的火山群，就位于夏威夷群岛。夏威夷群岛是太平洋上知名的火山岛链，每一个岛都是一座火山。它们都是由同一处海底热点涌出的熔岩慢慢堆积成海底火山，当火山突出海面后，就形成海岛。海岛随着地壳板块漂移，形成一个岛链，组成夏威夷群岛。夏威夷火山是宁静式喷发火山，滚热的熔岩在地表缓缓流动，随处可见冷却的熔岩，还可以观赏熔岩和海水"交战"的画面，处处白烟弥漫的、壮观的大自然景观。

　　夏威夷岛下的海床，是一个熔岩热点，借由一次次海底火山喷发，慢慢形成岛链。

基拉韦厄火山

夏威夷群岛的基拉韦厄火山底下，有非常巨大的岩浆房。滚烫的岩浆每天都会从火山口和岩石裂缝中喷出，再缓慢流入大海，滚烫的熔岩碰到海水立刻将水汽化，形成大量的水雾。

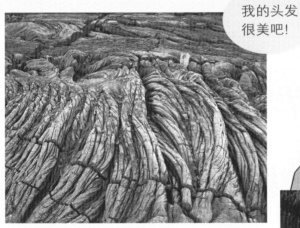

我的头发很美吧！

夏威夷火山熔岩凝固后，形成像绳子又像卷发的火成岩，传说是火山女神佩雷的头发。

熔岩流冷却时，经常是表层凝固成形，但内部还流着高温的岩浆。内部岩浆流光时就会形成熔岩洞穴，空间大到足以让人在里面行走。

阿苏火山是猛爆式喷发型的火山，火山爆发时，会喷出大量的火山岩屑和火山灰。

## 环太平洋岛链上的火山

在太平洋四周，除了太平洋上的夏威夷群岛外，亚洲的日本和印度尼西亚，也是火山密布的地区。这些地区位于板块交界处，当板块活动时，地壳里的岩浆就有机会跑出来，因此，整个太平洋板块与其他板块交界处，也形成了一圈"火环"，成为火山活动频繁的区域。

在日本境内，共有 110 座火山，有 94 座火山有喷发记录，九州岛熊本县的阿苏火山是一座活跃的活火山，在 2016 年就喷发过两次。

太平洋火环上的印度尼西亚，也有 130 座火山，其中巴厘岛附近的林贾尼火山、苏门答腊岛的锡纳朋火山和摩鹿加群岛（又称马鲁古群岛）的瓜马拉马火山是非常活跃的三座火山，经常发生猛烈的爆发。

太平洋

太平洋板块

日本富士山是一座锥状火山，是一座活火山，经常有小规模喷发，但已经有好几千年未曾有大规模的喷发了。

苏门答腊岛的锡纳朋火山是非常活跃的火山，经常爆发，2016 年 10 月爆发时，喷出大量火山灰，给附近人们带来很大的危害。

艾雅法拉火山爆发时，不但涌出大量的岩浆，也喷发出大量的火山灰，火山灰飘散，甚至扩散到整个欧洲。

## 洋中脊上的冰岛火山

北欧的冰岛是一个位于大西洋中脊上的岛国，因此，岛上火山密布，地热与温泉很多，形成了一个冰与火的世界。洋中脊位于地壳薄弱之处，所以，地底熔岩经常从这个缝隙中挤出来，造成火山爆发。2010年，冰岛的艾雅法拉火山曾经两次喷发，喷出大量的火山灰，造成欧洲空中交通大乱，空气污染，甚至大量火山灰尘遮蔽太阳光，造成气候异常、变冷。这几次的火山喷发，对全球人类与其他生物都造成很大的影响。

冰岛位于大西洋中脊上，因为熔岩不断向上蹿升，地壳不断朝两边扩张、变薄，使得地底熔岩有机会蹿出，形成火山爆发。

洋中脊

洋中脊

冰岛是一个高纬度国家，冬季漫长，全国经常在冰封之中，但是，地底下却有炙热的熔岩蠢蠢欲动，因此，在冰冻的地面上，经常可以看到火山活动。

地热

温泉

间歇泉

冰岛火山与冰河交织的特殊地形，也造就了许多奇特的景观，间歇泉到处都有，地热和温泉资源取之不尽。

# 漂亮的硫黄结晶

什么是矿物呢？矿物是由无机物形成的，具有一定的化学成分、物理性质和规则的原子排列。我们可以从矿物中提炼出各种有用的物质。现在让我们先来认识这块黄色的矿石。

这块黄色的矿石就是硫黄，硫黄的产生与火山活动有密切关系，天然的硫黄大多产在爆裂火山口内的硫气孔附近，大都呈针枞状的细小结晶或不规则的块状，具有松脂光泽及白色的条纹。

硫黄很容易在低温下燃烧，燃烧时发出蓝色的火焰，它的气体具有毒性，而且还有臭味。

硫气孔

硫黄不容易溶于水及酸类物质中，它的熔点是113摄氏度，可以用来制造硫酸、火柴、杀菌剂、鞭炮和农药等。

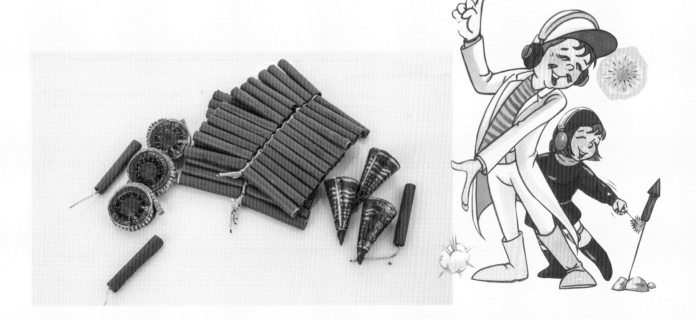

# 空中散步的工具——热气球

　　尽管人类飞行的梦想早已实现，但是仍然有许多人宁愿自己有双翅膀，可以任意地展翅高飞，享受鸟瞰大地的乐趣。

　　200多年前，人类发明了第一个飞行器——热气球。它既没有引擎，也没有螺旋桨，而且行进速度十分缓慢，但看起来优哉游哉，受到人们喜爱，并且逐渐发展成为一项热门运动。小朋友，我们来瞧一瞧热气球究竟具有什么魅力吧！

# 热气球的构造

提起热气球，大多数人除了对五颜六色的球皮和一个吊篮留有深刻的印象外，其他就一无所知了。现在，我们一起来仔细研究热气球的构造，以及它所具备的功能吧！

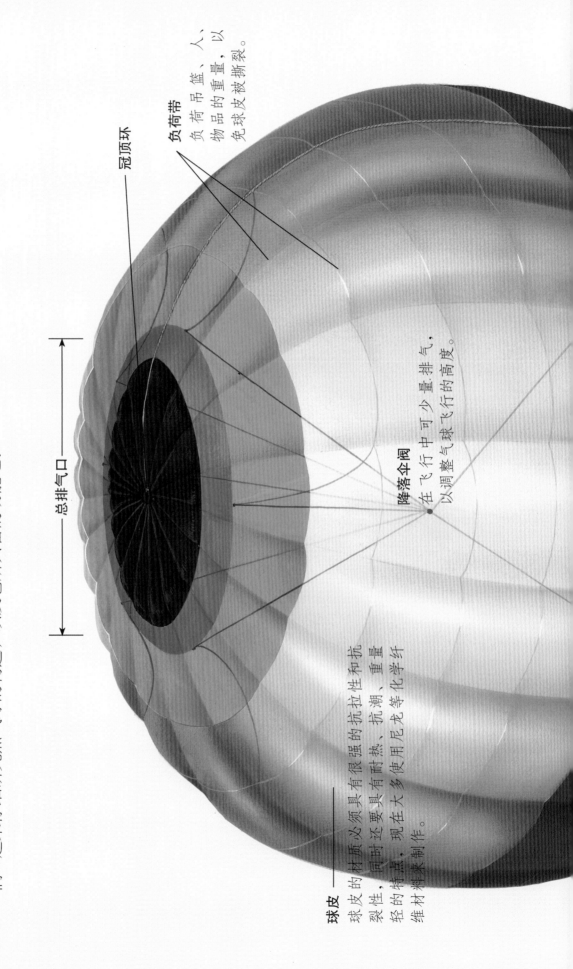

**冠顶环**

**负荷带**
负荷带吊篮、人、物品的重量，以免球皮被撕裂。

总排气口

**降落伞阀**
在飞行中可少量排气，以调整气球飞行的高度。

**球皮**
球皮的材质必须具有很强的抗拉性和抗裂性，同时还要具有耐热、抗潮、重量轻的特点。现在大多使用尼龙等化学纤维材料来制作。

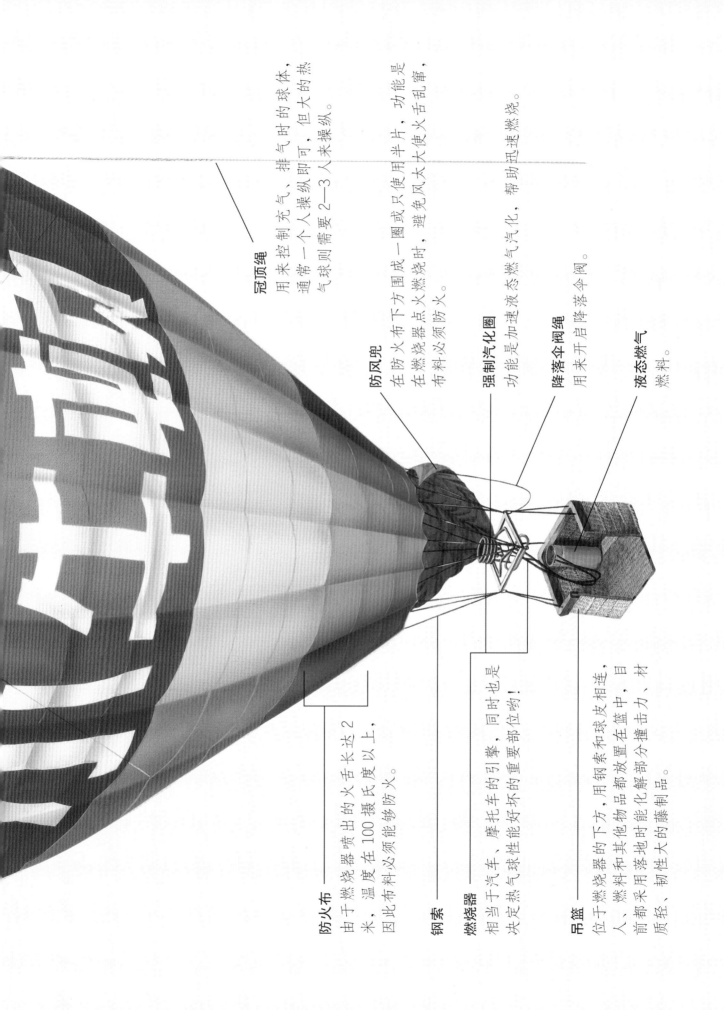

**冠顶绳**
用来控制充气、排气时的球体，
通常一个人操纵即可，但大的热
气球则需要 2—3 人来操纵。

**防风兜**
在防火布下方围成一圈或只使用半片，功能是
在燃烧器点火燃烧时，避免风太大使火舌乱窜，
布料必须防火。

**强制汽化圈**
功能是加速液态燃气汽化，帮助迅速燃烧。

**降落伞阀绳**
用来开启降落伞阀。

**液态燃气**
燃料。

**防火布**
由于燃烧器喷出的火舌长达 2
米，温度在 100 摄氏度以上，
因此布料必须能够防火。

**钢索**

**燃烧器**
相当于汽车、摩托车的引擎，同时也是
决定热气球性能好坏的重要部位哟！

**吊篮**
位于燃烧器的下方，用钢索和球皮相连，
人、燃料和其他物品都放置在篮中，目
前都采用落地时能化解部分撞击力、材
质轻、韧性大的藤制品。

当体积一样时，热空气比冷空气轻。而发明热气球的蒙哥尔费兄弟并不知道空气加热后会变轻的道理，误以为是燃烧时产生的烟雾中含有比空气轻的东西，因此为了产生更多的烟雾，他们连腐烂的肉都拿来燃烧。

## "热身"运动开始了！

热气球，顾名思义，就是里面充满热空气的气球。当然，气球里面也可以装入其他比空气轻的气体，例如氢气、氦气等，不过这种气球就不能称为"热气球"了。

通常在热气球比赛开始前，大伙儿都先做"热身"运动。瞧，这位老兄正聚精会神地把热空气送进热气球里面。

## 阿基米德也来插一脚

阿基米德在洗澡时发现，物体在水中的浮力等于排开的同体积水的重量。如果把水换成空气，是不是同样可以说明热气球产生浮力升空的道理呢？

没错！热气球里的空气经过加热后，它的体积会膨胀，密度变小，而周围的空气没有改变，因此只要热气球里所装的热空气再加上球皮、吊篮、人和器材的总重量比它排开的同体积空气的重量小，热气球就可以升空了。

做完了"热身"运动，一个个"精神饱满"的热气球像个调皮的小孩似的，已经迫不及待地想飞上天了！

燃烧液态燃气将空气加热，
热气球因浮力变大而往上升，顺
风向热气球便逐渐向右移动。

## 空中漫步的技巧

飞呀！飞呀！热气球不断地升空，但是它没有任何
改变飞行方向的动力装置，那它如何前进呢？

别担心，热气球如果只能上升而无法向前进，就不
算是"交通工具"了。

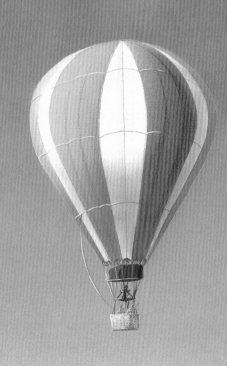

它的飞行原理是利用燃烧器来调节气球里面空气的
温度，使热气球上升或下降。高度不同，风力和风向也
有很大的差异，因此只要把热气球控制在适当的高度，
选择适合的风层迎合风力，便可以前往目的地了。

此外，想要在空中漫步，除了要有熟练的操作技巧
外，还要会看天气预报图，要具备气象方面的知识。

打开降落伞阀放出热空气，
热气球因浮力变小而下降，顺风
向热气球便逐渐向左移动。

# 呀！手指烫伤了！

无论是吃火锅还是露营取火，一不小心就容易烫到手指头。烫伤的皮肤会立刻变红、发肿，而且会觉得很疼，严重时手指头上还会起小水疱。小朋友，当你遇到这种情况时，千万不要惊慌，赶紧照下面的方法做！

1.马上在水龙头下冲水，或用冰水浸泡手指头，以降低伤口的温度，直到疼痛减轻。

2.用消炎药膏涂抹受伤部位，再贴上创可贴。

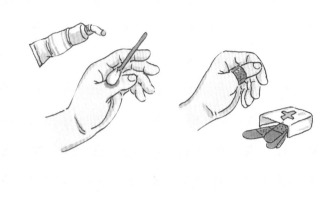

3.如果有小水疱，让它自然消失，不要弄破它。

4.等伤口复原后，用橄榄油或婴儿油涂抹，以保护伤口，免得伤口再度裂开或留下疤痕。

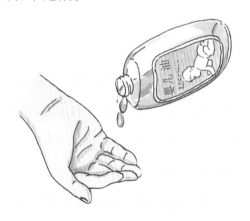

如果水疱太大，或烫伤范围太大，就要赶快送医院处理治疗。

用酱油、糨糊或牙膏等涂抹伤口，容易引起伤口感染。

用没有消毒的针头挑破水疱，容易引起感染。

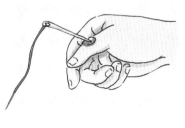

小朋友平时在家里要怎么预防烫伤呢？

你走入厨房时，尽量远离火炉或正在沸腾的开水。

厕所用的强酸或强碱、烤面包机、熨斗等东西，都很容易引发危险，使用时要格外小心。

还要避免使用强力胶，因为它遇火很容易爆炸。

# 远离烧烫伤

俗话说："水火无情。"为了使小朋友能够远离烧烫伤，我们再提供更深入的实用信息。预防胜于治疗，知道得多一点儿，就能避免危险的事情发生。

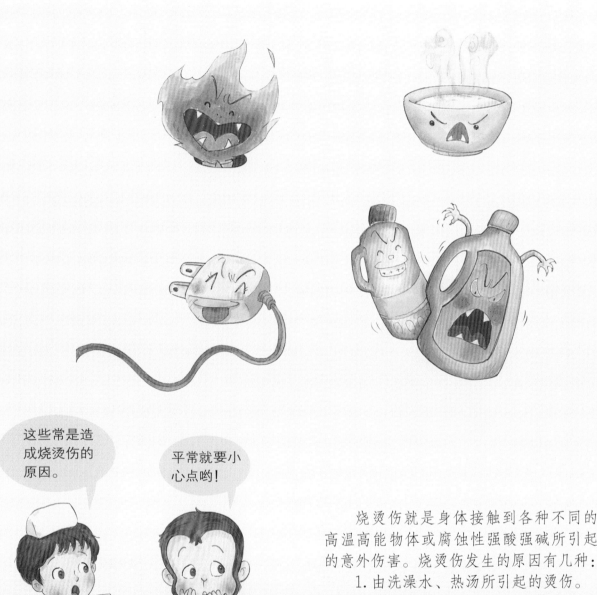

这些常是造成烧烫伤的原因。

平常就要小心点哟！

烧烫伤就是身体接触到各种不同的高温高能物体或腐蚀性强酸强碱所引起的意外伤害。烧烫伤发生的原因有几种：

1. 由洗澡水、热汤所引起的烫伤。

2. 由爆竹爆炸、火灾、酒精或汽油燃烧所引起的烧伤。

3. 由浓硫酸或盐酸等化学药品所引起的化学灼伤。

4. 由高压电所引起的电灼伤。

## 预防胜于治疗

烧烫伤会直接威胁到伤者的生命，治疗所带来的庞大医疗费用也会成为家人的沉重负担。受伤者还必须忍受肉体的疼痛，所留下的疤痕更会造成心理问题，因此我们一定要切实做好预防工作。

小朋友洗澡、吃火锅时，一定要特别注意哟！

洗澡时，一定要先放冷水，再放热水。

不可以乱开厨房的煤气炉。

不可以胡乱触摸电源开关或把东西插入插座内。

不要碰触刚煮好的滚烫热汤或开水。

不可以玩打火机或火柴。

不要玩鞭炮或任意点燃蜡烛。

不可以伸手碰触正在使用的电熨斗。

不可以玩厕所里的盐酸或其他清洁剂。

不要碰触机动车的排气管。

## 烫到了怎么办？

不小心烫到的时候，必须先用流动的冷水冲洗烫伤处 10 分钟，再将烫伤的部位浸泡在水中，小心地去除衣物，并持续地浸泡 10 分钟，然后将干净的毛巾或消毒纱布覆盖在伤口上，赶紧送医急救。

口诀就是"冲、脱、泡、盖、送"哟！

冲　　脱　　泡　　盖　　送

小朋友，千万不可以在伤口上涂牙膏、糨糊、沙拉油或酱油，以免造成细菌感染，延误最佳治疗时间。

## 灼伤程度的划分

皮肤是很重要的感觉器官，它有调节体温、防止体液散失、防御细菌感染和维持美观等功能。一旦皮肤破损的面积太大，会对人体产生极大的伤害，甚至造成生命危险。

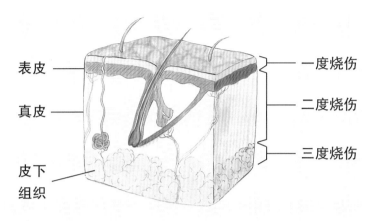

| 一度烧伤 | 表皮会泛红、肿痛，常由过度日晒、紫外线或火花灼伤所引起。 |
|---|---|
| 二度烧伤 | 表皮会红、痛、起水疱，常由烫伤、短暂烧伤所引起。 |
| 深二度烧伤 | 伤及表皮和部分真皮，皮肤呈白色或红色，是由长时间烧烫伤所引起。 |
| 三度烧伤 | 伤及皮下脂肪、肌肉、肌腱、骨骼，皮肤干硬，呈白色或黑色，因为神经被破坏，几乎没有疼痛的感觉。 |

幼儿和青少年最容易发生烧烫伤，而且烫伤常是造成意外死亡的主要原因。大多是因父母一时的疏忽或幼儿无知所造成的，4岁以下的儿童多是热水烫伤，5岁以上多为火焰烧伤，常发生在厨房、浴室等地方。

# 小牛顿 全新升级版 科学馆